Colección original dirigida por Canela (Gigliola Zecchin)
Diseño de interior: Helena Homs
Diseño de tapa: Paula Lanzillotti

Roldán, Gustavo
    Animal de patas largas / ilustrado por Sáulor. - 7ª ed. - Buenos Aires :
Sudamericana, 2012.
    64 p. : il. ; 20x13 cm. (Pan Flauta)

    ISBN 950-07-1899-5

    1. Literatura Infantil y Juvenil Argentina. I. Sáulor, ilust. II. Título
    CDD A863.928 2

Primera edición: diciembre de 2000
Séptima edición: enero de 2012

© 2000, Editorial Sudamericana S.A.®
© 2012, Random House Mondadori S.A.
Humberto I 555, Buenos Aires.
Impreso en la Argentina
ISBN 10: 950-07-1899-5
ISBN 13: 978-950-07-1899-8
Queda hecho el depósito que previene la ley 11.723.

www.megustaleer.com.ar

Esta edición de 2.000 ejemplares se terminó de imprimir en Indugraf S.A.,
Sánchez de Loria 22251, Bs. As., en el mes de enero de 2012.

colección

pan flauta

EL AUTOR

Gustavo Roldán nació en el Chaco. En Fortín Lavalle, junto al Bermejo, aprendió a jugar con los animales y a decir mentiras.

Nunca se olvidó de esas dos cosas.

Ahora también es aprendiz de mago y es experto en hacer desaparecer monedas. Lo que nunca consigue es que la plata aparezca.

Entre sus libros figuran: *Prohibido el elefante, El carnaval de los sapos, Todos los juegos el juego, Sapo en Buenos Aires, Dragón, El secreto de las estrellas* y *Un largo roce de alas.*

EL ILUSTRADOR

Sáulor nació en Catamarca y estudió en la Escuela de Bellas Artes de Tucumán. Enseñó diseño gráfico en la Facultad de Arquitectura de la UBA. Desde 1984 se dedica a la ilustración de libros para chicos y es considerado un maestro en el género. Es reconocido internacionalmente y sus ilustraciones figuran en los catálogos de Bibiana, Bratislava; el Tibi, Teherán; Fil '91 de Guadalajara, México. Fue distinguido por ALIJA, IBBY y el Banco del Libro de Venezuela. En 1994 y 1996 fue postulado por la Argentina para el Premio Hans Christian Andersen.

ANIMAL DE PATAS LARGAS

Gustavo Roldán
Ilustraciones: Sáulor

ANIMAL DE PATAS LARGAS

El sol comenzó a pintar los colores de las flores; el viento, a poner canciones en el pico de los pájaros, y las abejas, a crear el primer murmullo del monte.

El piojo se despertó contento porque había llegado la primavera. Se desperezó, miró para todos lados, y dijo:

—¡Qué linda mañana para estirar las piernas! ¡Es la hora en que nos gusta correr a los que tenemos patas largas!

El enorme claro abierto en medio del monte era como una invitación.

–¡A correr siete vueltas! –gritó con entusiasmo.

Y el viento comenzó a golpearle la cara con su frescura y los árboles se convertían en una sola mancha interminable por la velocidad.

Tras las siete vueltas, y con los ojos aún semicerrados por el viento, dijo el piojo:

—¡Esto sí que me hace bien! Los que tenemos patas largas estamos contentos cuando corremos en primavera.

Y mientras el sol terminaba de pintar una flor colorada y el viento ponía otra canción en el pico de una calandria, el piojo se puso a silbar panza arriba, siempre en la cabeza del ñandú, que resoplaba cansado.

HISTORIA DE LA
PULGA QUE APLASTA

Una mañana llena de sol, la pulga sintió ganas de correr mundo.

Saltó a una gruesa rama de quebracho, porque no quería aplastar árboles con su peso, y se sentó a esperar. Sin apuro.

–Tiene que ser un animal muy fuerte –pensó– para que me pueda llevar.

Y cuando pasó el tapir le saltó encima.

–Hace mucho ruido al caminar –se dijo la pulga–, se ve que lo hago pisar fuerte. Y saltó sobre un tatú que estaba cavando un agujero.

–¡Ñandubay y jacarandá! Lo estoy haciendo hundir en la tierra. Me voy rápido de aquí.

Y saltó sobre un yaguareté que en ese momento comenzaba a rugir.

–Lo estoy haciendo llorar. Mejor me voy.

Y saltó sobre un yacaré, que estaba hundiéndose en el río.

–Pobre bicho, se va a ahogar con mi peso. Mejor me voy.

Y saltó sobre el oso hormiguero.

Pero el oso hormiguero había descubierto un pequeño agujerito, y se quedó quieto quieto, esperando a las hormigas.

–Un animal tan grande –dijo la pulga–, y no puede dar ni un paso. ¿Cuál será el animal más fuerte?

Entonces pasó la paloma pico-

teando pastitos. La pulga dio un salto y le cayó en la cabeza. La paloma siguió picoteando tranquilamente y después echó a volar.

—¡Mburucuyá y surubí! ¡Qué fuerza tiene esta paloma! Ahora sí me puedo quedar tranquila.

Y ahí se quedó, contenta, silbando un chamamé, porque por fin había encontrado al animal capaz de cargar con una pulga sin hundirse en la tierra.

NOCHE DE REYES
A LOS SALTOS

El sapo andaba atareado y nervio-so, revolviendo entre los yuyos y juntando cosas. No tenía tiempo ni para saludar.

—Esta noche vienen, ¿eh don sa-po? –preguntó el coatí.

—¡Ay, don sapo, no veo la hora en que lleguen! –dijo la paloma.

—No sé si voy a poder dormir esta noche –dijo la iguana.

—Bah –dijo la lechuza–. Seguro que les anduvo contando el cuento de los Reyes Magos.

—Don sapo nos dijo que esta noche van a venir con regalos —contestaron el coatí y la paloma.

—¿Sí? —dijo la lechuza—. Y también les habrá dicho que vendrán montados en camellos. ¿Me quieren explicar cómo hacen los camellos para cruzar el mar? ¿A que eso no les dijo?

—Claro que sí. Nos contó que había sido un problema, y por eso ahora vienen montados en sapos, que sí saben cruzar el mar.

—¿Y para cruzar las montañas? ¿Los sapos también saben cruzar las montañas? ¿A que eso no les dijo?

—¡Sí nos dijo, sí nos dijo! Andan todo el día a los saltos para practicar el cruce de montañas. Ésa es la forma de cruzarlas, a los saltos.

—Bah —dijo la lechuza—, ése es un sapo mentiroso. ¡Miren si los Reyes

Magos van a cambiar los camellos por sapos! ¿Alguien los ha visto montados en sapos? ¿A que eso no les dijo?

–¡Sí nos dijo, claro que sí! Nadie los vio porque los sapos no hacen ruido al saltar, y llegan despacito cuando todos están dormidos. Los camellos hacían mucho ruido.

–Bah –dijo la lechuza–, se van a quedar con las ganas porque esta noche no va a venir nadie.

En la noche brillaba una luna redonda y blanca. El coatí, la paloma, el quirquincho y mil animales más

daban vueltas sin poder dormir. Al final, como sin darse cuenta, se durmieron más temprano que nunca.

Sólo quedó despierto el canto de las ranas.

Aquel 6 de enero todos se despertaron muy temprano.

–¡Vinieron los Reyes! ¡Vinieron los Reyes! –gritaban picos y hocicos.

Al lado de cada uno había un regalo. Una pluma roja para la paloma gris. Un higo maduro para el coatí. Una flor de mburucuyá para la iguana. Y así mil cosas para los mil animales.

–¡Vinieron los Reyes! ¡Vinieron los Reyes! –gritaban todos.

¿Todos? Bueno, todos no. En un rincón, tras un árbol caído, el sapo dormía sin que los ruidos pudiesen sacarlo de su cansancio. Había andado a los saltos toda la noche, y ahora soñaba con Reyes Magos montados en sapos, y hablando en sueños decía:

–¡Ja, si sabrá de Reyes Magos este sapo!

EL POZO DEL ZORRO

La sequía no terminaba nunca aquella vez, y todos los animales tuvieron que hacer largos caminos para encontrar un poco de agua. Hasta el zorro tuvo que salir a buscar.

–¡*Ticó* y *nicó* y *curundú*! –rezongaba en guaraní, porque así los insultos suenan más insultos–. ¿Qué clase de mundo es éste?

Pero no había remedio.

Ya había conseguido que los demás le dieran agua diciendo que su abuelita había chocado con un tatú.

Que su abuelita tenía paperas.

Que su otra abuelita se había caído de un árbol.

Que su otra abuelita...

Y fue entonces cuando no le creyeron, y tuvo que ponerse a recorrer caminos y buscar agua.

En eso andaba cuando encontró una cueva muy grande y, como hacía más de diez minutos que estaba trabajando, pensó que era hora de echarse una buena siesta.

En el fondo de la cueva había un envoltorio semienterrado, y ahí nomás lo desató y sacó una gorra, un sable y una chaqueta.

—¡Bah, esto no se come! —pensó primero.

Pero al rato salía de la cueva con la gorra y la chaqueta puestas y el sable enredándosele entre las patas.

Con paso marcial fue a pararse al lado de un pozo de agua que había encontrado el quirquincho.

–¡Eh, compadre! ¿Qué hace con ese traje? –preguntó la vizcacha, un poco emocionada frente a ese zorro tan elegante.

–¡Cumplo con mi deber! –respondió el zorro con voz de tipo importante–. ¡Fui nombrado cobrador de impuestos!

–¿Y a quién le va a cobrar los impuestos?

–A los que quieran tomar agua. Ya sabe que está muy escasa, y así podremos comprar una nube bien llena.

Y llegó el tatú y tuvo que pagar.

Y el ñandú y la paloma.

Y el carpincho y la mulita.

Y aunque pusieron cara fea, no hubo caso, porque el agua estaba escasa y había que comprar una nube bien llena.

En eso llegó el coatí, silbando un chamamé.

—¡Alto, chamigo! —gritó el zorro—. ¡Que no se pasa sin pagar!

—¿Pagar qué, chamigo? ¿Para verte así, compadre como gallito enano?

—Lo que todos pagan, porque ya es una costumbre hacerlo. Hay que pagar para tomar agua.

—¿Y si no puedo pagar?

—¡Entonces no pasará! —gritó el zorro con voz de autoridad.

Y el coatí tuvo que volverse, pero de la bronca que tenía no podía seguir silbando el chamamé.

En el montecito se encontró con el tatú, la paloma y la iguana, que cuchicheaban con las cabezas juntas. Discutieron largo y tendido. Pensaron parados y pensaron sentados. Y el pico cada vez más abierto y el hocico cada vez más seco.

Hasta que el tatú, que tenía buena memoria y se acordaba de la última lluvia, dijo que la lluvia era gratis y que las nubes no se compran.

Entonces el coatí tuvo una idea. Y se la explicó a sus amigos haciendo dibujos en la tierra con un palito más o menos así:

—Lo que necesitamos —dijo después— son buenos cavadores.

—Sencillito, chamigo —dijo el tatú, y pegó un chiflido de una manera especial.

Al ratito nomás llegaron al galope

la mulita, el quirquincho, el peludo
y el tatú carreta, y comenzaron a
afilarse las uñas.

El tatú carreta hizo un pozo muy
hondo, y después el quirquincho comenzó a cavar apuntando para el
pozo de agua.

Cuando se cansaba era reempla-
zado por la mulita y después por el
peludo, y el túnel avanzaba rápida-
mente.

Al anochecer estaba casi listo, y
cuando la paloma hizo señas de que
el zorro se había dormido, el tatú
entró para dar el toque final, y al

ratito, en medio de un chorro de agua, quedó manoteando en medio del pozo nuevo.

–¡Puf, chamigo! –dijo–. ¡Creo que no tomaré agua por un mes!

Después llamaron a los animales que pasaban por ahí, para avisarles y para que hicieran correr la voz.

El zorro dormía feliz. Soñaba que era muy inteligente y que no volverían a reírse porque tenía un montón de abuelitas, y cuando juntase toda la plata se iría a pasear a París de Francia y...

Se despertó contento. Se acomodó la chaqueta y la gorra, se ajustó el sable y puso cara de zorro cobrador de impuestos y...

–¡Añamembuí! –dijo abriendo grandes los ojos, porque en el pozo no quedaba ni una gota.

Miró para todos lados, pero lo único que pudo entender fue que su sueño de irse a París de Francia se había ido junto con el agua.

—¡Bah! —dijo—. ¡Después de todo, ya me estaba cansando!

Y sacándose el uniforme lo tiró al fondo del pozo, y se fue cabizbajo para el lado del monte.

—¡Eh, compadre! —le gritó el coatí—. ¿No quiere un poco de agua?

—No, chamigo —contestó el zorro con las orejas tristes—. Me parece que el agua me produce malos sueños.

LA PULGA QUE SALVÓ
AL MUNDO

La cosa fue así: había una vez un cielo color azul chaqueño y en el cielo, un sol grande y más chaqueño todavía.

Y debajo del sol, un árbol con flores coloradas, y debajo del árbol se paseaban el tigre y el tapir. Y debajo del tigre y del tapir estaban los pastos verdes y los pastos secos. Y debajo de los pastos verdes y los pastos secos se paseaba la pulga.

–¡*Sapucay* y *aguará guazú*! –gritó la pulga mirando para todos lados–.

¡Cuídese el mundo, que paso yo, y toda la tierra está debajo de mis patas!

Y cruzó de un lado para el otro tratando de no pisar a nadie. Y ahí andaba lo más campante cuando ¡zas!, quedó temblando al borde de un enorme, enorme pozo.

—¡Amancay y mburucuyá! —dijo asustada—. Éste es el pozo más negro que pueda existir. ¡Por aquí el mundo se va a caer!

Y se quedó pensando cómo hacer para salvar al mundo.

—¡Yuchán y jacarandá! ¡Siempre me tocan los problemas difíciles!

Y siguió de guardia al lado del enorme pozo para que el mundo no se cayera. Entonces vio un poste gruesísimo con forma de bigote de tigre y se dijo:

—¡Ñandubay y *pitogüé*! Ese tronco tan grueso es lo que yo necesito.

Y ahí nomás tiró y tiró hasta que logró arrancarlo de donde estaba y lo metió tapando el pozo. No quedó ni rastro del peligro.

Miró para arriba y vio los pastos secos y los pastos verdes, después al tigre y al tapir, después el árbol lleno de flores coloradas, después el sol y después el cielo azul chaqueño. Todo estaba en orden.

—¡Yaguareté barcino! —dijo—, parece que pude salvar al mundo.

Y como el mundo ya no corría peligro dio dos saltos mortales tratando de no pisar a nadie, y se fue para cualquier lado silbando un chamamé.

Pero de lo que nunca se enteró la pulga es de que bajo el árbol de flores coloradas el tigre se contaba y recontaba los pelos del bigote, diciendo sorprendido:

—¡No puede ser y no puede ser, de este lado me falta uno!

LOS CUCURUCHOS DE
LOS REYES MAGOS

El coatí, la paloma, el quirquincho y mil animales más rodearon al sapo.

—Amigo sapo —dijo la paloma—, hay quien dice que los Reyes Magos no existen.

—¿No? ¿Acaso el año pasado no les trajeron regalos?

—Es que también dicen que fue usted el que los trajo.

—¿Yo? ¿Quién dijo eso?

—La lechuza. Dice que ella estaba

despierta esa noche y que lo vio cuando repartía los regalos.

El sapo se quedó mudo. Había preparado tantos cucuruchos con semillas de colores para repartir y justo ahora venía a hablar esa lechuza.

—¿Y, don sapo? ¿Qué nos contesta? —dijo el coaticito.

—Sí, sí —dijo la iguana—, ¿es usted o no es usted?

—Claro que yo soy yo.

—No, eso no. Le pregunto si es usted el que se disfraza.

El sapo no sabía cómo salir del aprieto, y ya se veía venir lo que estaban planeando. Entonces decidió ganarles de mano.

—Bueno, bueno —dijo haciéndose el enojado—, ya que ustedes creen lo que dice esa lechuza, les propongo una cosa.

–¡¿Qué cosa, qué cosa?! –dijo el mono.

–Desde este mismo momento yo me quedo con ustedes, y listo. Así estarán seguros de que no ando repartiendo regalos.

–¡Sí, sí, sí! –gritaron con entusiasmo–, ésa es la solución.

–Y nosotros, los que tenemos patas largas –dijo el piojo parado en la cabeza del ñandú–, lo estaremos vigilando.

* * *

Apoyado en un jacarandá, haciéndose el dormido, el sapo seguía pensando en cómo salir del aprieto.

¿Escapar? Eso sería descubrirse.

¿Hablar con otro sapo para que ocupe su lugar? Menos, cualquier sapo resultaría sospechoso.

¿Y los regalitos que había preparado y tenía tan bien escondidos?

De repente el sapo cambió la cara, sonrió, y apoyado en el jacarandá se puso a murmurar, como hablando solo.

* * *

Esa Noche de Reyes los animalitos se fueron durmiendo uno tras otro. En medio de todos, el sapo roncaba sin problemas.

La noche se llenó de silencios bajo la luna redonda y blanca que se fue alejando lentamente.

Amaneció.

−¿Qué hacen aquí? −dijo el sapo desperezándose−. ¿No piensan mirar qué les trajeron los Reyes?

Todos corrieron a sus cuevas, a sus nidos, a sus árboles.

—¡Vinieron los Reyes! ¡Vinieron los Reyes! —gritaban el coatí y el mono mostrando los cucuruchos que habían encontrado.

Todos gritaban. ¿Todos? Bueno, todos no. La tortuga no, porque todavía no había llegado a su casa.

—Permiso, permiso —dijo el sapo—. Yo también tengo que ir a buscar mi regalo.

—¿Quiere que lo llevemos, don sapo? —dijo el piojo desde la cabeza del ñandú—. Los que tenemos patas largas viajamos rápido.

—Gracias, m'hijo, otra vez será.

Y el sapo se fue hacia un lugar que sólo él sabía. Él y la pulga que lo estaba esperando.

—Gracias, pulguita. ¡Cómo me salvaste! Si no aparecés y me hablás, yo estaba perdido. ¡Qué trabajo habrás tenido!

–Sí, don sapo, tuve que dar 7.345 saltos –dijo la pulga mientras se iba quedando dormida–. Pero me divierte pensar en la cara que va a poner la lechuza. También dejé un regalito para ella.

Por una vez el sapo no se quedó murmurando "si sabrá de estas cosas este sapo". Ahora dijo, despacito, para no despertar a la pulga:

–¡Ja, si sabrá de Reyes Magos esta pulga!

Y la tapó con un rulo de oveja que había guardado especialmente para ella.

ÍNDICE

Animal de patas largas 9

Historia de la pulga que aplasta 15

Noche de Reyes a los saltos 21

El pozo del zorro 29

La pulga que salvó al mundo 41

Los cucuruchos de los Reyes Magos 49

DEL AUTOR

Muchos cuentos, muchas formas de contar, muchos importantes problemas como la manera de volar de los pájaros, los aprendí tirado panza arriba bajo un algarrobo, de la mano de peones, arrieros, domadores.

Yo me divertía y ellos también se divertían contando, porque habían encontrado un oyente entusiasta.

Sólo después descubrí la importancia de un oyente –o de un lector– entusiasta. Para ese lector van mis cuentos.

DEL ILUSTRADOR

CÓDIGO DE COLOR - (Edad sugerida)

Serie **Azul**: Pequeños lectores
Serie **Naranja**: A partir de 7 años
Serie **Violeta**: A partir de 9 años
Serie **Verde**: A partir de 11 años

CÓDIGO VISUAL DE GÉNERO

Sentimientos

Naturaleza

Humor

Aventuras

Ciencia-ficción

Cuentos de América

Cuentos del mundo

Cuentos fantásticos

Poesía

Teatro